25 ANOS DO MENINO MALUQUINHO

EDITORA
GLOBO

EDITORA GLOBO

Gerente editorial
Cecília Bassarani
Editoras
Camila Saraiva
Luciane Ortiz de Castro
Assistente editorial
Lucas de Sena Lima
Editora de arte
Adriana Bertolla Silveira
Diagramadores
Fernando Kataoka
Gisele Baptista de Oliveira

Av. Jaguaré, 1.485 – Jaguaré
São Paulo – SP – 05346-902 – Brasil
www.globolivros.com.br

The-raldo Estúdio de Arte e Propaganda
Diretor
Ziraldo Alves Pinto
www.ziraldo.com.br
www.meninomaluquinho.com.br
ziraldo@ziraldo.com.br

Megatério Estúdio de Criação e Arte
Coordenação editorial
Miguel Mendes
mig@megaterio.com.br
www.megaterio.com.br

Artistas Convidados
Mauricio de Sousa - Páginas 10 e 11
Lailson - Páginas 14 e 15
Nani - Páginas 18 e 19
Daniel Azulay - Páginas 22 e 23
Son Salvador - Páginas 26 e 27
Angeli - Páginas 30 e 31
Nilson - Páginas 34 e 35
Marcelo Campos e
Weberson Santiago - Páginas 38 e 39
Jal e Gual - Páginas 42 e 43
Ota - Páginas 46 e 47
Santiago - Páginas 50 e 51
Lelis - Páginas 54 e 55
Dalcio - Páginas 58 e 59
Mario Vale - Páginas 62 e 63
Caco - Páginas 66 e 67
Eliardo França - Páginas 70 e 71
Zélio - Páginas 74 e 75
Jean - Páginas 78 e 79
Miguel Paiva - Páginas 82 e 83
Erica Awano - Páginas 86 e 87
Aroeira - Páginas 90 e 91
Guto Lins - Páginas 94 e 95
Fábio Moon e Gabriel Bá - Páginas 98 e 99
Baptistão - Páginas 102 e 103

As ilustrações do terceiro, do quinto e do sétimo quadrinho, da página 61, foram reproduzidas do livro **O Menino Maluquinho**, publicado pela Editora Melhoramentos, São Paulo. © 2004 Editora Melhoramentos Ltda.

Ziraldo Alves Pinto
dedica sua vida à literatura e à ilustração para crianças. É artista gráfico, humorista, escritor de livros infantis, ilustrador, cartunista, caricaturista, dramaturgo, jornalista e bacharel em Direito. Publicou seus primeiros cartuns na imprensa de seu estado, Minas Gerais, quando ainda nem havia escolas de artes no Brasil. Em 1960 lançou a primeira revista brasileira de *comics* com a Turma do Pererê. Escreveu e ilustrou seu primeiro livro para crianças, FLICTS, em 1969 e, a partir daí, não parou mais de fazer trabalhos para o público infantojuvenil. Sua maior criação é O MENINO MALUQUINHO, livro que desde 1980 diverte as crianças de todo o país e já foi adaptado para histórias em quadrinhos, teatro, cinema e televisão.

Texto fixado conforme as regras do Acordo Ortográfico da Língua Portuguesa (Decreto Legislativo nº 54, de 1995).

Dados Internacionais de Catalogação na Publicação (CIP)
(Câmara Brasileira do Livro, SP, Brasil)

Ziraldo
25 anos do Menino Maluquinho / Ziraldo; [ilustrações do autor]. – São Paulo: Globo, 2006.

ISBN 978-85-250-4101-2

1. Histórias em quadrinhos 2. Literatura infantojuvenil I. Título.

05-8881   CDD-028.5

Índice para catálogo sistemático:
1. Histórias em quadrinhos : Literatura infantojuvenil 028.5

1ª edição, 2006 – 8ª reimpressão, 2012

Este livro foi composto em CCWildWordsInt e impresso em papel *offset* 90 g/m² na Ave Maria. São Paulo, Brasil, março de 2012.

PONTO DE PARTIDA

Aposto que você só começou a ler esta página depois de ter lido toda a historinha, não é? Não o culpo. Muitas vezes, a vontade de devorar uma nova história não espera nem o tempo de ler uma pequena apresentação. Mas, para quem prefere as coisas certinhas e está lendo nossa mensagem primeiro, prometo ser breve. Não é toda hora que a gente publica uma edição tão especial, e posso chamar sua atenção para uma ou duas coisas.

Este monumental gibi foi inventado por alguns dos meus velhos colaboradores – quase como uma festa surpresa para mim – com o propósito de esclarecer como o Menino Maluquinho chegou aos 25 anos sem deixar de ser criança e sem tirar a panelinha da cabeça.

Quer dizer, tanta coisa muda em 25 anos... A gente cresce tanto em 25 anos, como é que pode o Menino Maluquinho continuar o mesmo?

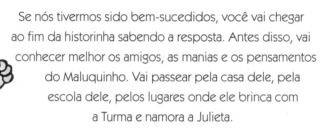

Se nós tivermos sido bem-sucedidos, você vai chegar ao fim da historinha sabendo a resposta. Antes disso, vai conhecer melhor os amigos, as manias e os pensamentos do Maluquinho. Vai passear pela casa dele, pela escola dele, pelos lugares onde ele brinca com a Turma e namora a Julieta.

Quem nos ajuda a contar essa história são 25 artistas convidados. Pensa o quê? Que a gente não ia pedir umas "canjas" para incrementar o nosso *show*? São todos talentosíssimos, craques consagrados. Ao longo da vida, fui encontrando essa turma – alguns veteranos, outros muito jovens, mostrando-me seus primeiros desenhos – e concluí, feliz, que os desenhistas brasileiros estão cada vez mais criativos. Ninguém segura a gente!

Assim, você vai ver o Menino Maluquinho como nunca viu antes, em diversos estilos e sob inéditos pontos de vista. Para, depois, talvez, voltar ao início.

ERA UMA VEZ
UM MENINO MALUQUINHO.

ELE TINHA O OLHO MAIOR
QUE A BARRIGA.

TINHA FOGO NO RABO.

TINHA VENTO NOS PÉS.

UMAS PERNAS ENORMES
(QUE DAVAM PRA
ABRAÇAR O MUNDO).

E MACAQUINHOS
NO SÓTÃO.

ELE ERA UM MENINO
IMPOSSÍVEL!

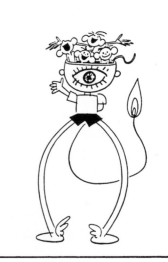

VIU? ELE ERA MUITO PARECIDO COM VOCÊ!

QUE LIVRO LEGAL!

É MESMO! EU LI NA ESCOLA, QUANDO ERA GAROTINHA!

ESTE EXEMPLAR É DA PRIMEIRA EDIÇÃO... 1980! QUER DIZER QUE ESTE LIVRO JÁ TEM 25 ANOS!

25 ANOS??? É VELHO PRA CARAMBA!!!

QUE EXAGERO!

EU NÃO SABIA QUE O MENINO MALUQUINHO TINHA NASCIDO NUM LIVRO!

PENSEI QUE SÓ TINHA REVISTINHAS E FILMES!

QUERIDA! CHEGUEI!

OI, QUERIDO!

OI, PAI!

ESTOU COM UM PROBLEMÃO!

ESQUECERAM ESTE PACOTE NO BANCO DO MEU TÁXI...

...E EU NÃO TENHO A MENOR IDEIA DE QUEM PERDEU!

VAMOS ABRIR PRA ACHAR UMA PISTA?!

NOSSA! QUE ESTRANHO! É UM MONTE DE DESENHOS!

VIU? DEVE SER DO TRABALHO DE ALGUÉM! EU TENHO QUE DEVOLVER!

Ô MÃE! VOCÊ REPAROU NUMA COISA?

TODOS ESTES DESENHOS TÊM O *MENINO MALUQUINHO!*

EU REPAREI *OUTRA* COISA: CADA DESENHO FOI ASSINADO POR UM ARTISTA *DIFERENTE!*

7

O QUE NÓS VAMOS FAZER?

NÃO CUSTA NADA PROCURAR UMA PISTA NOS JORNAIS OU PERGUNTAR LÁ NO PONTO...

ENQUANTO ISSO, ACHO QUE TENHO UMA ÓTIMA IDEIA PRA ESTES DESENHOS!

SE EU COLOCAR OS DESENHOS NUMA ORDEM CERTA...

...ELES FORMAM UMA NOVA HISTÓRIA DO MENINO MALUQUINHO!

ESTE AQUI, POR EXEMPLO, É O MENINO MALUQUINHO DESENHADO PELO *MAURICIO DE SOUSA!*

A HISTÓRIA COMEÇA ASSIM: O MENINO MALUQUINHO QUERIA SAIR DE *SKATE*, MAS OS PAIS DELE NÃO ESTAVAM DEIXANDO...

9

RÁ! RÁ! RÁ! FICOU *DEMAIS*!

"MAS AÍ SURGIU UM PROBLEMA, QUER DIZER, SURGIU O JUNIM..."

MUITO BONITO...

OBRIGADO!

APOSTO QUE VOCÊ ESCONDEU DOS SEUS PAIS QUE VINHA ANDAR DE *SKATE*!

PÔ, JUNIM!

EU VOU CONTAR PRA ELES, HEIN?

TÁ BOM! TÁ BOM! O QUE VOCÊ QUER PRA FICAR CALADO?

NADA, UÉ! SÓ QUERO JUSTIÇA! SE EU NÃO POSSO TAPEAR OS MEUS PAIS, POR QUE VOCÊ PODE?

AH! ESSA É SUA NOÇÃO DE JUSTIÇA? VOCÊ É CAPAZ DE *DEDURAR* SEU *MELHOR AMIGO?*

BEM...

...NA VERDADE, EU SÓ QUERIA BRINCAR UM POUQUINHO TAMBÉM!

ORA... EU TE EMPRESTO O MEU "SKATE"!

OBA!!!

...MAS TEM QUE PROMETER QUE VAI TOMAR CUIDADO PRA NÃO SE MACHUCAR!

TÁ BOM!

AGORA ME DÁ!

ME DÁ!

ESSE JUNIM...

VRUM! VRUM!

MALUQUINHO! PODE EMPRESTAR SUA BOLA?

CLARO!

MALUQUINHO! PODE ME AJUDAR COM A LIÇÃO DE CASA?

VAMOS LÁ!

MALUQUINHO! PODE CONVERSAR COMIGO?

CLARO!

"ASSIM ERA O MENINO MALUQUINHO: ESPERTINHO, RAPIDINHO, BONZINHO, DANADINHO..."

...MAS UM **COMPANHEIRÃO!**"

A PROVA DISSO É QUE ELE ESTÁ SEMPRE ALI, NA HORA DE ENTRAR NUM ROLO E AJUDAR UM AMIGO...

MALUQUINHO, SE UM CARA GRANDÃO QUISER ME BATER, VOCÊ ME AJUDA?

CLARO!

O HERMAN VEM AÍ E QUER ACABAR COMIGO!

CARACA!

BOCÃÃÃÃO!!!

É MELHOR CORRER, MALUQUINHO!

MAS... O QUE ACONTECEU?

FALEI QUE ELE ERA O MENINO MAIS CHATO DO BAIRRO, QUE AS MENINAS ACHAVAM ELE UM GROSSO, QUE ELE ERA UM ESTÚPIDO...

SÓ ISSO?

FALEI TAMBÉM QUE VOCÊ DISSE QUE ELE ERA UM *BANANA!*

PÔ! VOCÊ TEM MESMO UM *BOCÃO*, HEIN?

ALTO LÁ!

?

DEIXA EU TE MOSTRAR UMA COISA, HERMAN!

BZZ... BZZ... BZZ... BZZ...

TEM CERTEZA? VOCÊ NÃO SE INCOMODA?

VAI FUNDO! ASSIM, VOCÊ *LAVA* SUA *HONRA* SEM SUAR A CAMISA!

VALEU!

OH! OOOH! OOOH!

VIRAM SÓ O QUE EU FIZ COM O MALUQUINHO?

21

ALÉM DE DOCES, O MENINO MALUQUINHO GOSTAVA DE TER RESPOSTAS NA PONTA DA LÍNGUA!

ESSE MENINO NÃO TOMA JEITO!

EU, HEIN? E SE ESSE JEITO TIVER GOSTO RUIM?

O MALUQUINHO É MUITO LEVADO!

E QUEM É QUE ESTÁ ME LEVANDO?

ONDE JÁ SE VIU UMA COISA DESSAS?

EM NENHUM LUGAR! QUERO SER UM PIONEIRO!

MENINO DIREITO NÃO FAZ ESSAS COISAS!

MAS O CANHOTO FAZ, NÉ?

BONITO, HEIN?

OBRIGADO... E OLHA QUE EU NEM ME ARRUMEI!

ESSE MENINO VIVE NO MUNDO DA LUA!

EU VIVO AQUI NA TERRA, MAS ÀS VEZES EU PASSO LÁ!

O MALUQUINHO PARECE LIGADO NA TOMADA!

POR ISSO EU SOU UM MENINO **CHOCANTE!**

VOCÊ PUXOU O PAPAI OU A MAMÃE?

NÃO CONSEGUI PUXAR, ELES SÃO MEIO PESADOS...

QUE GAROTO ARTEIRO!

É, EU SEMPRE TIVE TALENTO PARA AS ARTES!

VOCÊ SÓ COME BESTEIRA?

ISSO É MENTIRA! EU TAMBÉM COMO BOBAGEM, PORCARIA E UMAS GULOSEIMAS DE VEZ EM QUANDO!

MALUQUINHO, VOCÊ NÃO EXISTE!

UÉ? VOCÊ NÃO TÁ ME VENDO AQUI?

"EM DIAS DE CHUVA, O MALUQUINHO BRINCAVA SOZINHO EM SEU QUARTO... QUE NEM EU!"

UNIFORME!

CAPACETE!

O MELHOR CARRO DO MUNDO...

...E O PRIMEIRO LUGAR NO PÓDIUM!

É... CORRIDA PODE SER LEGAL, MAS NADA COMPARADO A...

"BRINCAR DE PIRATA..."

A PRINCESA VAI COMIGO!

"...ENFRENTAR OS PERIGOS DO MAR..."

OLHA, O CAPITÃO ESTÁ ENFRENTANDO A SERPENTE MARINHA NO BRAÇO!

QUE CORAGEM!

"...E FEROZES TEMPESTADES..."

EM FRENTE, MARUJOS!

CABRUM!

"...EM BUSCA DA ILHA DO TESOURO!"

TERRA À VISTA!

BEM-VINDO A EUFEIDOLÔCIO

"É CLARO QUE O TESOURO ERA PRA PAGAR A VIAGEM ESPACIAL..."

À ESQUERDA, O PÃO DOCE...

ÔNIBUS ESPACIAL

...E À DIREITA, A TORRE DE PIZZA!

"O ÚNICO RISCO DESSAS 'VIAGENS ESPACIAIS' ERA O DE SER INTERROMPIDO!"

...SEGUINDO EM FRENTE, A "VIA DO LEITE"!

MALUQUINHO!!!

"MAS BAGUNÇA MESMO ERA O QUE ACONTECIA ENTRE AS MENINAS!"

CALMA, MENINAS, CALMA!

ASSIM NÃO DÁ! QUERO O DIREITO DE EXCLUSIVIDADE!

CONSEGUI! *ELE* ME *ROUBOU* UM BEIJO!

CHUAC!

PRA VOCÊ!

AI, QUE FOFO!

OI, JÔ! SABIA QUE ESTOU NAMORANDO O MALUQUINHO?!

UÉ? MAS *EU* É QUE ESTOU NAMORANDO ELE!

...ATÉ GANHEI ESTE SORVETE DELE!

...ELE ME TROUXE MAÇÃS E LARANJAS!

...ELE ESCREVEU NOSSO NOME AQUI!

MALUQUINHO+JANA

UÉ? AONDE VOCÊ VAI?!

FALAR COM O MALUQUINHO...

...E PEGAR DE VOLTA O BEIJO QUE ELE ME ROUBOU!

?!

MALUQUINHO! QUERO O MEU BEIJO DE VOLTA!

TÁ!

CHUAC!

"BOM... MESMO TENDO 10 NAMORADAS, TODOS SABIAM QUE ELE TINHA A SUA PREFERIDA!"

ALÔ!

DE ONDE FALA?

LIGA DOS SUPER--HERÓIS! EM QUE POSSO AJUDAR?

MINHA IRMÃ SUBIU NUMA ÁRVORE E NÃO QUER SAIR DE LÁ!

ISSO É MAIS UM TRABALHO PARA O...

PANELA VOADORA!

E AÍ?

DAQUI NÃO SAIO...

VAI SER FÁCIL, É SÓ SUBIR LÁ E...

...E DAQUI NINGUÉM ME TIRA!

SOCORRO!

O QUE SERIA DE VOCÊS HOMENS SEM NÓS?

CALCINHA MARAVILHA...

...ME DÁ UM AUTÓGRAFO?

EI! DÁ PRA DEIXAR O PAPO PRA DEPOIS?

Ô PANELA, JÁ PERCEBEU QUE VOCÊ SEMPRE FICA PRESO A DEZ CENTÍMETROS DO CHÃO? É SÓ PULAR!

VOCÊ É QUE NÃO TEM IMAGINAÇÃO!

ENTÃO, QUAL É O PROBLEMA?

É A IRMÃ DO BOCÃO... NÃO QUER DESCER DA ÁRVORE!

?

AH, ISSO É FÁCIL!

NINA, TENHO UMA PROPOSTA! É O SEGUINTE...

"E TAMBÉM UM GRANDE ATLETA!"

VIU? SÃO VERMELHAS!

LINDAS!

DEIXA A GENTE JOGAR COM VOCÊS?

ESSA É BOA!

DEPOIS QUE O FUTEBOL FEMININO ENTROU NA MODA...

...SÓ FALTA INVENTAREM O *FUTEBOL MISTO!*

PROFESSORA, ELES NÃO QUEREM DEIXAR A GENTE BRINCAR COM ELES!

MENINOS! QUE MODOS SÃO ESSES? VÃO BRINCAR JUNTOS, *SIM!*

COMO TODO MENINO, O MALUQUINHO GOSTAVA DE JOGAR FUTEBOL!

"ADORAVA SER O GOLEIRO!"

"PERTO DO MALUQUINHO, O GOL PARECIA IMENSO..."

"...MAS, NA HORA DO JOGO, JÁ NEM PARECIA TÃO GRANDE ASSIM!"

DEIXA COMIGO!

VAI, MALUQUINHO! VOA NA BOLA!

ISSO AÍ, GAROTO!

ASSIM NÃO DÁ!

O MALUQUINHO CAI DE LADO, CAI DE FRENTE...

...CAI DE PERNAS PARA O AR, CAI DE BUNDA NO CHÃO...

...E NÃO DEIXA A BOLA CAIR!!!

Ô HERMAN, FICA ASSIM NÃO!

"SÓ TINHA UM MENINO NA TURMA QUE PERDIA AS DEFESAS DO MALUQUINHO. ERA O LÚCIO!"

OI, LÚCIO! VAMOS SAIR PARA BRINCAR LÁ NA PRAÇA?

DEPOIS! AGORA ESTOU LENDO, MALUQUINHO!

QUAL É, LÚCIO?! VOCÊ TÁ DE FÉRIAS!

O CONHECIMENTO NÃO TIRA FÉRIAS NUNCA!

TÁ BOM, TÁ BOM! ...E O QUE ESTÁ LENDO?

É UM LIVRO SOBRE GRANDES NOMES DA CIÊNCIA!

E EU ESTOU LENDO SOBRE BENJAMIN FRANKLIN E SUAS EXPERIÊNCIAS COM ELETRICIDADE!

SABE COMO É QUE ELE FAZIA EXPERIÊNCIAS?

SÓ VOCÊ MESMO!

ENTÃO, VAMOS LÁ PARA O CAMPINHO QUE FICA LONGE DA REDE ELÉTRICA! É MAIS SEGURO!

SOLTANDO PIPA! VAMOS!

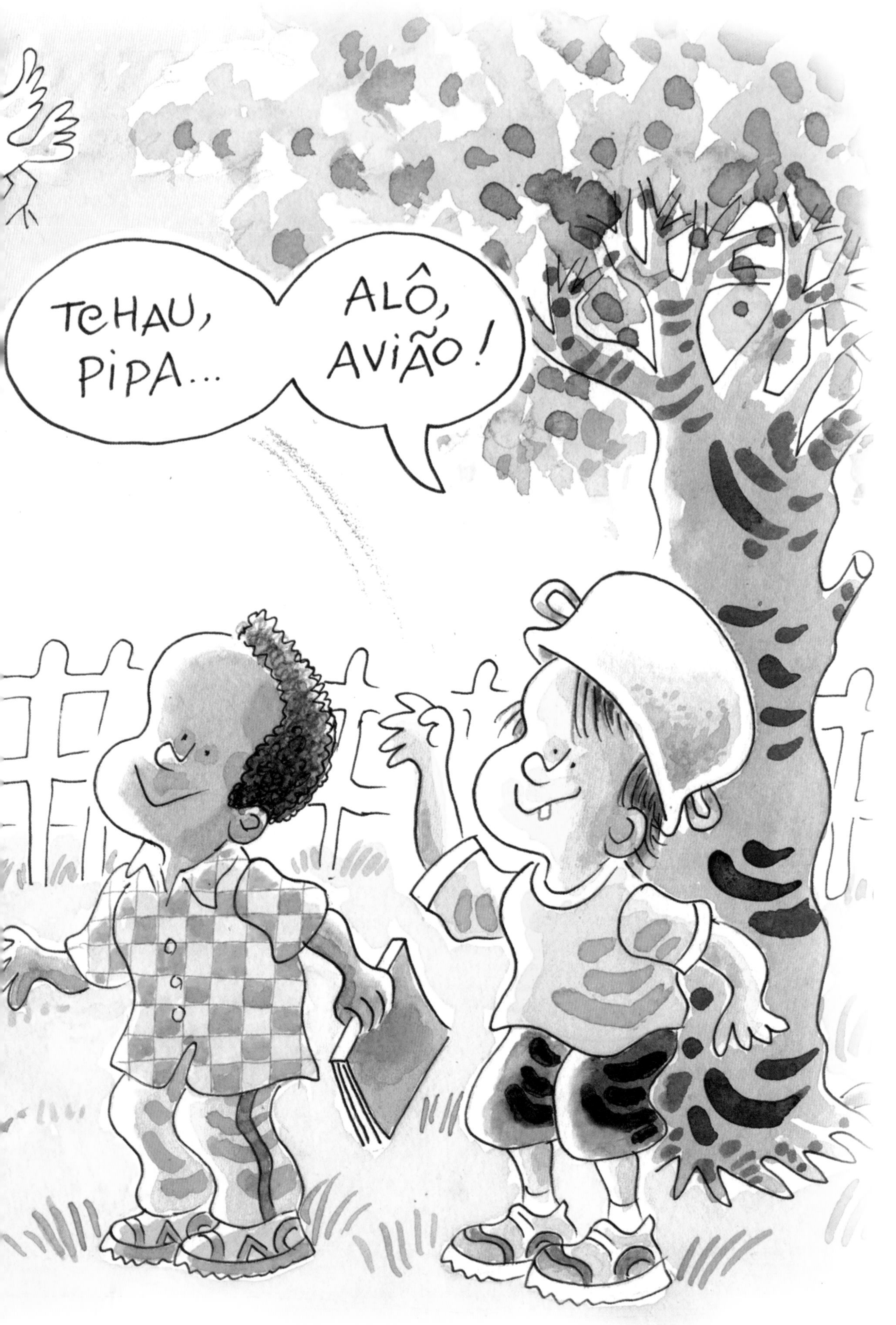
TCHAU, PIPA...
ALÔ, AVIÃO!

"AS FÉRIAS DO MALUQUINHO ERAM BRINCADEIRA DIRETO, ATÉ QUE..."

OI, PESSOAL! TUDO JOIA?

NÃO!

SABE SE O MALUQUINHO VEM, BOCÃO?

BEM, ELE AINDA ESTÁ COM A PERNA MACHUCADA, MAS DISSE QUE VIRIA ASSIM MESMO!

FALA, MOÇADA! ESTOU CHEGANDO!

UÉ? ACHEI QUE SÓ TINHA MACHUCADO A PERNA!

ERA SÓ A PERNA... MAS, SABE COMO É! A VIDA TEM DESSAS COISAS...

BOM, AGORA TEM ESPAÇO PARA A GENTE RABISCAR!

QUERO SER A PRIMEIRA!

TARDE DEMAIS, CAROL!

CALMA, GENTE! O QUE NÃO FALTA É ESPAÇO!

54

"MUITAS AULAS DEPOIS..."

...E A ÚLTIMA DUPLA DE TRABALHO É O MALUQUINHO E A CAROL!

ALMOÇA LÁ EM CASA HOJE! A GENTE JÁ PÕE A MÃO NA MASSA!

MAS VOCÊ SABE QUE EU SÓ COMO COMIDA NATURAL!

CAROL, LÁ EM CASA COMIDA É SÓ NATURAL!

VAI ME DIZER QUE NÃO COME CARNE?

E DESDE QUANDO CARNE É ARTIFICIAL, CAROL?

SEU BOBO! EU QUERO DIZER QUE SÓ COMO *VEGETAIS*!

HUM... TIPO SORVETE DE ALFACE, SUCO DE JILÓ...

É, MALUQUINHO. TIPO ISSO!

OI, DONA NANÁ!

OI, CAROL! QUE BOM RECEBER SUA VISITA!

VISITA NADA, MÃE! É TRABALHO DA ESCOLA!

...ELES FORAM PRA COZINHA HÁ UM TEMPÃO E NÃO SAÍRAM MAIS!

MELHOR EU IR VER!

MENINOS, O QUE VOCÊS... NOSSA! MAS O QUE É ISSO?!

CALMA, MÃE, É O NOSSO TRABALHO DA ESCOLA...

"ÀS SEXTAS-FEIRAS, A TURMA NÃO VIA A HORA DE A AULA ACABAR PRA COMEÇAR LOGO O FIM DE SEMANA! FICAVAM TODOS IMPACIENTES, OLHANDO AS HORAS O TEMPO TODO!"

FALTA MUITO?

MAIS DEZ SEGUNDOS!

9, 8, 7...

CAMÕES FOI UM POETA PORTUGUÊS DO PERÍODO...

TRIÍMM!!!

OPA! A AULA ACABOU, TURMA! BOM FIM DE SEMANA!

E ATÉ SEG... UÉ?

AH, ESSES MENINOS! UM ATÉ DEIXOU O CADERNO PRA TRÁS!

DE QUEM SERÁ?

MMM...

UMA CONTA E UM DESENHO...

UMA LIÇÃO E UM VERSINHO...

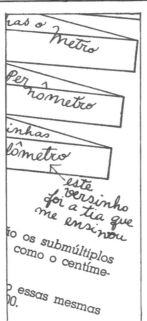

UM MAPA E UM PASSARINHO...

É...

CHEGUEI!

VOCÊ NÃO TOMA BANHO?

É MESMO! ESSE TIPO DE COMPORTAMENTO É TÍPICO DOS MENINOS?

SHHH! MUDA DE ASSUNTO! A MAMÃE TÁ POR PERTO!

VOCÊ ACHA QUE OS MENINOS SÃO SUPERIORES ÀS MENINAS?

QUE NADA! BESTEIRA!

UMA PERGUNTA BOBA DESSAS SÓ PODERIA VIR DE UMA MENINA!

EI!

QUALÉ?

O MALUQUINHO É MALUQUINHO 24 HORAS POR DIA!

POR FAVOR, NÃO DEMORE! É URGENTE!

BLIM ♪ BLOM...

AH!

E AINDA TEM QUEM RECLAME QUE OS *SERVIÇOS DE EMERGÊNCIA* NÃO FUNCIONAM!

PIZZA

DISQUE PIZZA

LEGAL! TUDO DEVERIA FUNCIONAR 24 HORAS E ENTREGAR EM CASA...

...INCLUSIVE A *ESCOLA!*

PROFESSORA, PODE ME MANDAR UNS EXERCÍCIOS DE MATEMÁTICA PARA VER SE CONSIGO PEGAR NO SONO?

MALUQUINHO! QUER QUE EU TIRE UM PONTO DE VOCÊ? QUER?!?

ELA NÃO ENTENDEU, DEIXA PRA LÁ!

E AGORA? PRECISO DE OUTRO SERVIÇO *24 HORAS*!

MEUS CAMARADAS NÃO VÃO ME DECEPCIONAR!

E AÍ, BOCÃO! VAMOS BATER UMA BOLINHA?

UÁÁÁ... JÁ ESTOU NA CAMA, *"BRÓDER"*! PODE SER AMANHÃ?

MALUQUINHOOO! HORA DE DORMIR!

AH... TUDO BEM, NÃO FAZ MAL!

O SERVIÇO DE EMERGÊNCIA QUE EU MAIS GOSTO É O DA MAMÃE: *ABRAÇO – 24 HORAS!*

"NO DIA SEGUINTE É QUE A EMERGÊNCIA REALMENTE ACONTECEU!"

OI, MALUQUINHO! QUE CARA DE PREOCUPAÇÃO É ESSA?

TENHO QUE LEVAR UMA BOMBA PARA CASA!

AI, QUE FOFO! O MALUQUINHO É UM SUBVERSIVO!

?

MÃE, CHEGUEI!

...E TROUXE UMA BOMBA!

AI, MEU DEUS! MEU NETO VAI MATAR O GATO!

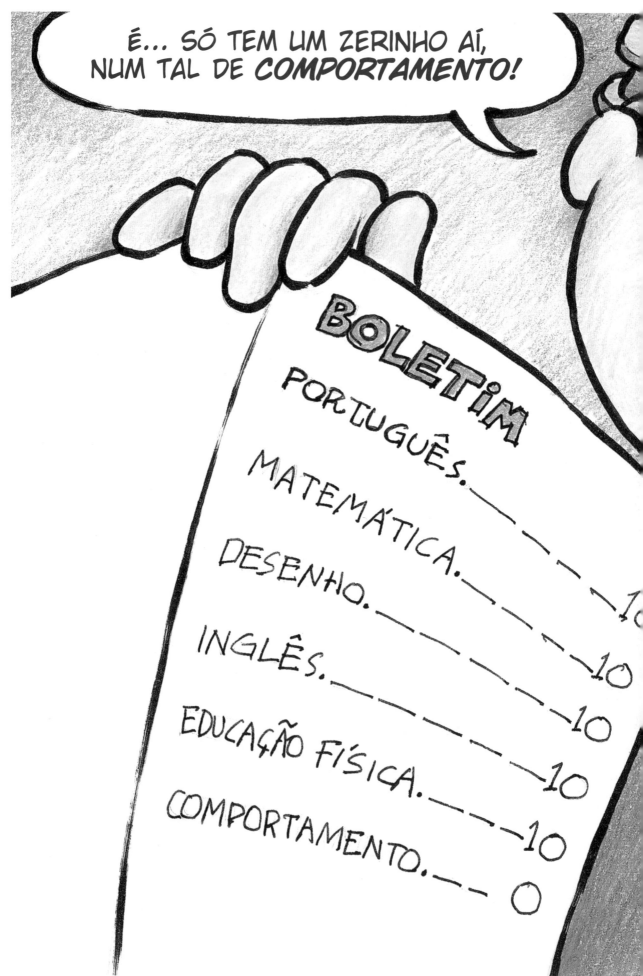

BELEZA! AGORA, SÓ FALTA ESPERAR PELA FESTINHA DE HOJE!

"À NOITE..."

E AÍ? COMO É QUE ESTÁ A FESTA?

TÁ INDO NA BASE DA *FRUTA*...

ATÉ AGORA SÓ ENCONTREI *GOIABAS!*

OLÁ, MENINAS!

E AÍ, MALUCO? GOSTANDO DA FESTA?

MAIS OU MENOS! TÁ NA BASE DA *FRUTA*...

PERCEBI QUE NA NOSSA TURMA SÓ TEM *BANANAS!*

APROVEITANDO, NÉ, MALUQUINHO?! COMO PRETENDE FAZER PARA TER FÔLEGO ATÉ O FIM DA FESTA?

NA BASE DA *FRUTA*, RENATINHA...

TÔ COMENDO ATÉ O *CAROÇO!*

OLHA A SHIRLEY! PARECE UMA *MELANCIA ENFEITADA*. TUDO PARA APARECER!

ALIÁS... E TEU *REGIME?*

ERA NA BASE DA FRUTA, MAS...

...HOJE EU ENFIEI O PÉ NA *JACA!*

"QUEM FEZ SUCESSO NAQUELA FESTA FOI A SHIRLEY VALÉRIA, A GAROTA MAIS BONITA DA TURMA."

FIU! FIU!

OI, MALUQUINHO! PRECISO TE CONTAR AS NOVIDADES!

HOJE CORTEI MEU CABELO NUM SALÃO NOVO! VOCÊ GOSTOU?

FICOU DEMAIS! PARECE CABELO DE COMERCIAL DE XAMPU!

?

E AS MINHAS UNHAS, QUE TAL?

UAU! QUE COR BACANA!

QUANDO A MANICURE PÔS O ESMALTE ERRADO, EU QUASE MORRI!

RI! RI! RI!

COMO É QUE O MALUQUINHO CONSEGUE CONVERSAR COM A SHIRLEY?

ELA SÓ QUER SABER DE BELEZA... NÃO TEM NADA A VER COM ELE!

BLÁ! BLÁ! BLÁ!

JÁ SEI! VOU LÁ MOSTRAR QUE O MEU PAPO É MAIS INTERESSANTE!

...E LÁ NA AULA DE GINÁSTICA EU...

OI, GENTE!

EU VOU TE CONTAR AS MINHAS NOVIDADES!

CONTA AÍ!

EU APRONTEI NA ESCOLA... SUBI NA ÁRVORE... ANDEI DE BICICLETA...

ISSO AÍ, JUJU! ESSA É DAS MINHAS!

POR CAUSA DISSO TUDO EU ESTOU MEIO DESARRUMADA... SABE COMO É, FAÇO UM ESTILO *NATURAL!*

AH, É?

EU TAMBÉM TENHO UM ESTILO *NATURAL...*

??

CLAC CLAC!

O MENINO MALUQUINHO TEM AMIGOS MUITO **COMÉDIA**! UM DELES É O SUGIRO FERNANDO!

CUIDADO!

ELE@SEULANCHE.COM.ANZOL!

OBRIGADA, SUGIRO... POSSO TE DAR UM ABRAÇO?!

FALOU! MANDA POR **E-MAIL**!

"JÁ EM CASA..."

TÁ AQUI UM ALMOÇO CAPRICHADO PRA VOCÊ SE RECUPERAR DE TANTO COMPUTADOR!

UÉ? O QUE VOCÊ ESTÁ FAZENDO?

85

OUTRA AMIGA ENGRAÇADA DO MALUQUINHO É A CAROLINA...

CAROL, ME FALARAM QUE VOCÊ PREVÊ O FUTURO! FAZ UMAS PREVISÕES PRA MIM, FAZ?

COMO VAI SER? CARTAS? BÚZIOS? BOLA DE CRISTAL?

O QUE VOCÊ ACHA? ISTO AQUI PARECE BOLA DE FUTEBOL?

VOCÊ QUER SABER QUEM VAI SER SUA PRÓXIMA NAMORADA?

"UM POUCO DEPOIS..."

AS PREVISÕES DA CAROLINA ME DEIXARAM IMPRESSIONADO!

NÃO FOI NADA, JU! SÓ DISSE QUE O GRANDE AMOR DA VIDA DELE ESTAVA BEM A SEU LADO!

AGORA, NÃO POSSO FAZER NADA SE AS PESSOAS NÃO SABEM INTERPRETAR O QUE DIZEM OS ASTROS!

EU GOSTAVA MAIS QUANDO A CAROL FAZIA PREVISÕES SOBRE OS JOGOS DE FUTEBOL!

OI, CAROL, ME FALARAM QUE VOCÊ ESTÁ ADIVINHANDO O FUTURO, PODE VER O MEU?

QUER SABER SOBRE O QUÊ?

QUALÉ, CAROL? VOCÊ É QUE FAZ AS PREVISÕES, ENTÃO, *ADIVINHA*, PÔ!

GROSSO...

TÁ BOM, EU QUERO SABER SE EU VOU ARRUMAR NAMORADA!

DEPENDE...

SE VOCÊ CONTINUAR TÃO CHATO... OS ASTROS NÃO FAZEM *MILAGRE!*

"ESTA TURMA É COMPLETA! O QUE A CAROL NÃO SABE, O LÚCIO SABE!"

QUE HORAS SÃO, LÚCIO?

"SÓ SEI QUE NADA SEI!"

INTELECTUAL NÃO RESPONDE, *CITA!*

DIZ AÍ, VOCÊ ACHA QUE O BRASIL GANHA A COPA?

INTELECTUAL NÃO *ACHA,* MALUQUINHO!

INTELECTUAL *INFERE!*

TÁ BOM! TÁ BOM! AGORA VAMOS BRINCAR DE ASTRONAUTAS?

INTELECTUAL NÃO **BRINCA**, MALUQUINHO!

INTELECTUAL **EXPLORA O LADO LÚDICO**!

CARA, FUI!

"NO DIA SEGUINTE..."

CARA, ONDE VOCÊ ESTAVA? O JOGO TÁ QUASE ACABANDO!

DESCULPEM! É QUE NÃO TIVE **TEMPO**!

PÔ, LÚCIO! QUE **HOMEM** VOCÊ VAI SER, SE NÃO LEVA A BRINCADEIRA A **SÉRIO**?

MENINO 1

MALUQUINHO

LEVO TÃO A SÉRIO QUE RESOLVI SER O TÉCNICO! OLHA SÓ A ESTRATÉGIA QUE EU BOLEI PRA CHEGARMOS AO GOL!

RÁ! RÁ! RÁ! RÁ! RÁ!

ESSE MALUQUINHO É DA HORA! MUITO MANEIRO!

BEM... É MELHOR TERMINAR A HISTÓRIA, JÁ QUE TERMINARAM OS DESENHOS!

Ô MÃE! VOCÊS JÁ ACHARAM O DONO DOS DESENHOS?

AH! ESTAVAM COM VOCÊ, É? QUEM MANDOU PEGAR?

LEMBRA QUE A SENHORA FALOU QUE O MENINO MALUQUINHO ESTÁ FAZENDO 25 ANOS?

SIM!

SERÁ QUE TODOS ESTES DESENHOS NÃO SÃO UMA HOMENAGEM DOS DESENHISTAS FAMOSOS AO MENINO MALUQUINHO?

CLARO! QUE CONCLUSÃO MAIS *BRILHANTE*, FILHÃO!

Ô GAROTO BATUTA! *NÃO PUXOU* AO PAI...

OS DESENHISTAS DEVEM TER DADO ESTES "MENINOS MALUQUINHOS" PRO ZIRALDO FAZER UMA EXPOSIÇÃO, SEI LÁ...

ZIRALDO É O PAI DO MENINO MALUQUINHO, VOCÊS SABEM...

SERÁ QUE O ZIRALDO PERDEU OS DESENHOS NO SEU TÁXI?

ACHO QUE NÃO! EU CONHEÇO O ZIRALDO!... ELE JÁ PEGOU TÁXI COMIGO VÁRIAS VEZES...

...MAS, ONTEM, NÃO!

PRECISAMOS DE OUTRA PISTA!

AQUI! A REVISTINHA DO MENINO MALUQUINHO É FEITA NESSA EDITORA! VAMOS VER SE O ZIRALDO ESTÁ LÁ!

ÓTIMA IDEIA! VAMOS RESOLVER ISSO LOGO!

SUBAM AÍ E NÃO ESQUEÇAM OS DESENHOS!

ZIRALDO, ESTES DESENHOS SÃO SEUS?

É "SENHOR ZIRALDO", MENINO!

?!

OLHA QUE COISA INCRÍVEL! AS PESSOAS SEMPRE ME SURGEM NA HORA CERTA!

ESTAS ARTES SÃO DE UM MONTE DE DESENHISTAS AMIGOS MEUS! ERA SÓ O QUE FALTAVA PARA A GENTE COMPLETAR A *EDIÇÃO COMEMORATIVA DO MENINO MALUQUINHO!*

ESTAVAM NO TÁXI DO MEU PAI!

VENHAM COMIGO! QUERO QUE VOCÊS CONHEÇAM UM BANDO DE GENTE QUE ESTÁ LÁ NA REDAÇÃO MORRENDO DE ANSIEDADE...

SÃO PESSOAS QUE, COMO VOCÊ, TÊM ME AJUDADO, NESTES 25 ANOS, A CONTAR AS HISTÓRIAS DO MENINO...

...ESCREVENDO, DESENHANDO, PINTANDO, REVISANDO...

...E SÓ ESTÃO ESPERANDO VOCÊ PRA COMEMORAR!

Conheça os artistas convidados

Mauricio de Sousa

Mauricio foi repórter policial da *Folha da Manhã* de São Paulo, até criar as tiras do *Bidu* e do *Franjinha*, em 1959. A partir daí, surgiu a *Turma da Mônica*, que cresceu e conquistou crianças e adultos de todo o Brasil e de outros países como Itália e Japão.

Nilson

Aos 14 anos Nilson Adelino Azevedo começou a trabalhar na revista *Pererê*. Ele ficou conhecido em Minas Gerais pelos quadrinhos do *Negrim do Pastoreio* e, nacionalmente, pelas suas charges. Trabalha atualmente na Imprensa Sindical

Lailson

O pernambucano Lailson de Holanda Cavalcanti começou a ilustrar com 16 anos e, em 1975, passou a publicar suas charges no *Diário de Pernambuco*. Hoje, as charges de Lailson estão em jornais nacionais, internacionais e na Internet.

Marcelo Campos e Weberson Santiago

Criador do personagem *Quebra-Queixo*, o quadrinista Marcelo Campos já trabalhou com desenhos animados, séries de televisão e ilustrou várias revistas. Weberson Santiago é colorista e edita o fanzine *Ainda?*.

Nani

Ernani Diniz Lucas começou sua carreira há mais de 30 anos publicando charges no jornal *O Diário* em Minas Gerais. Cartunista, escritor e autor-roteirista, Nani tem inúmeros livros infantis e cartuns publicados.

Jal e Gual

José Alberto Lovetro e Gualberto Costa estão há mais de 30 anos no mercado de quadrinhos e humor gráfico. Jal é jornalista e cartunista e Gual é arquiteto e editor. Juntos, criaram o troféu *HQ Mix*, conhecido como o Oscar brasileiro das histórias em quadrinhos

Daniel Azulay

O desenhista Daniel Azulay criou os personagens da Turma do Lambe-Lambe na década de 80. Há mais de 25 anos ele une educação e entretenimento em seus trabalhos para o público infantil e contribui com campanhas sociais.

Ota

Editor da revista *Mad* há 31 anos, Ota faz e edita quadrinhos em jornais e revistas. Além disso, trabalha com filmes de animação e publica a tira *Dom Ináfio da Filva*, no *Jornal do Brasil* e na revista *Papolegal*, no Japão.

Son Salvador

O mineiro Gerson Salvador Pinto publica suas charges em jornais de Minas Gerais e na Internet. Também ilustrou diversos livros infantis e produz desenhos para televisão.

Santiago

O gaúcho Neltair Abreu, o Santiago, conquistou o cobiçado prêmio *Grand Prix* do jornal japonês *Yomiuri Shimbum*. Suas charges sempre se destacam nos festivais nacionais e internacionais de humor.

Angeli

O paulistano Arnaldo Angeli Filho se consagrou com suas charges políticas e a criação dos personagens *Rê Bordosa*, *Bob Cuspe*, *Wood & Stock* e os *Skrotinhos*. Conhecido em todo o Brasil, também teve seus trabalhos publicados em Milão, Barcelona e Buenos Aires.

Lelis

O chargista mineiro Marcelo Lelis começou desenhando para o jornal *Estado de Minas*. Ele já ganhou alguns dos principais prêmios de quadrinhos do Brasil e teve seu trabalho publicado na Espanha e na França.

Conheça os artistas convidados

Dalcio

A habilidade em lidar com diferentes linguagens do humor como cartum, caricatura e charges rendeu a Dalcio Machado mais de 70 prêmios, entre eles cinco no Japão, um no Irã, um na Espanha e um na Itália. Hoje, colabora com o *Jornal do Brasil*.

Miguel Paiva

Cartunista, diretor de arte, ilustrador, publicitário e jornalista, Miguel Paiva criou personagens de sucesso como *Radical Chic* e *Gatão de Meia Idade*. Foi autor e roteirista da TV Globo por 10 anos. Escreve para teatro e televisão e publica seus trabalhos em jornais e revistas.

Mario Vale

O mineiro Mario Vale publicou 12 livros infantis, alguns com mais de 100 mil exemplares vendidos. É artista plástico e trabalha com arte-educação, ensinando técnicas de recorte, colagem e dobradura para crianças.

Erica Awano

Desenhista de mangá de maior destaque no Brasil, Erica Awano se consagrou com *Holy Avenger*, série em quadrinhos na qual se dedicou por quatro anos. Seu trabalho mais recente é a série *Dragon's Bride*.

Caco

Caco Xavier é quadrinista, ilustrador e jornalista. Teve seus quadrinhos expostos no Brasil e no exterior e foi premiado em diversos salões de humor nacionais. É editor de um programa jornalístico de saúde pública no Rio de Janeiro.

Aroeira

Renato Luiz Campos Aroeira iniciou sua carreira como desenhista profissional aos 12 anos e como chargista aos 19. Ele também é cartunista e caricaturista e publica os seus trabalhos nos principais jornais e revistas do Brasil.

Eliardo França

Eliardo começou a sua carreira ilustrando livros para crianças. Com sua esposa, a escritora Mary França, publicou obras infantis em diversas línguas, premiadas nacional e internacionalmente. Como pintor já realizou exposições no Brasil e no exterior.

Guto Lins

Autor e ilustrador de diversos livros infantojuvenis, Guto Lins atua no mercado editorial, fonográfico e de entretenimento como diretor de arte e produtor gráfico. Além disso, cria aberturas e videografismos para cinema e TV.

Zélio

Jornalista, publicitário, fotógrafo e artista gráfico, Zélio Alves Pinto publicou cartuns em revistas da Europa e criou os Salões Internacionais de Humor de Piracicaba e de Foz do Iguaçu. Como cronista, cartunista e ilustrador colabora com jornais e revistas.

Fábio Moon e Gabriel Bá

Os gêmeos Fábio e Gabriel fazem quadrinhos há mais de 10 anos. Juntos criaram o fanzine *10 Pãezinhos* que se tornou revista e livro independentes. Suas histórias já foram publicadas nos Estados Unidos e na Itália.

Jean

Há 15 anos Jean Carlos Galvão publica charges e tiras em jornais e revistas. Produziu vinhetas para televisão e, em 97, lançou um livro com uma coletânea de charges. Jean já recebeu três prêmios *Vladmir Herzog de Direitos Humanos*.

Baptistão

O publicitário Eduardo Baptistão já ilustrou muitas capas para livros e discos e se destaca como caricaturista. Artista premiado e reconhecido, publica suas caricaturas em jornais e revistas.